Ilustraciones de Franco Rivolli

Redacción: Maria Grazia Donati
Diseño y dirección de arte: Nadia Maestri
Maquetación: Carlo Cibrario-Sent, Simona Corniola
Búsqueda iconográfica: Alice Graziotin

Primera edición: enero de 2015

Créditos fotográficos:
Istockphoto; Dreams Time; Shutterstock Images; © jose fuste raga/ Marka: 4; ©OSOMEDIA/ Marka: 5j; Getty Images: 6 Tommaso Di Girolamo/ Tips Images: 54; Tips Images: 55a; Getty Images: 55j, 56; © MEDUSA/ WebPhoto: 62.

Para cualquier sugerencia o información se puede establecer contacto con la siguiente dirección:
info@blackcat-cideb.com
blackcat-cideb.com

The design, production and distribution of educational materials for the CIDEB brand are managed in compliance with the rules of Quality Management System which fulfils the requirements of the standard ISO 9001 (Rina Cert. No. 24298/02/S - IQNet Reg. No. IT-80096)

ISBN 978-88-530-1520-4 libro + CD

Impreso en Italia por Italgrafica, Novara

Índice

Texto íntegramente grabado.

Este símbolo indica las actividades de audición.

DELE Este simbolo indica las actividades de preparación al DELE.

Plaza de María Pita, La Coruña.

Galicia,
entre mar y bosques

Galicia es una región costera situada al noroeste de la Península Ibérica, la más occidental de las tierras de España, y de toda la Europa continental. Tierra de marineros y emigrantes, es famosa en todo el continente por su clima húmedo, sus bellas playas oceánicas y la calidad de su pescado. Por razones históricas y religiosas, su capital es **Santiago de Compostela**, aunque el centro político y económico de la Comunidad Autónoma es la ciudad de **La Coruña**, un antiguo puerto pesquero situado en la costa norte de la región.

La Coruña

Aunque es la segunda ciudad más poblada de la región detrás de Vigo, La Coruña representa el fulcro de la vida económica, cultural y social

Torre de Hércules, La Coruña.

de Galicia. Sus orígenes son antiquísimos, ya que los primeros asentamientos son de época prerromana. El centro de la ciudad se extiende a partir de una península en forma de T, formando una bahía completamente rodeada de playas, en la que también se encuentra el puerto pesquero más importante de la región. Los monumentos de mayor interés son: la **Torre de Hércules**, el faro en funcionamiento más antiguo del mundo; el **Obelisco** construido a finales del siglo XIX y dedicado a un importante personaje político gallego de la época; la **Colegiata de Santa María**, una iglesia románica del siglo XII; el **Castillo de San Antón**, construido en el siglo XVI para defender la ciudad de los ataques desde el mar.

Santiago de Compostela

En la provincia de La Coruña encontramos la ciudad de Santiago de Compostela, que es quizás el centro religioso más importante de España. La imponente **Catedral**, cuya primera construcción remonta al siglo XI, es el punto de llegada del **Camino de Santiago**, una ruta

Camino de Santiago.

Fraga de Cecebre.

religiosa en la que miles de peregrinos siguen a pie los pasos del apóstol y mártir Santiago desde diferentes puntos de España.

La Fraga de Cecebre

A pocos kilómetros de La Coruña, en un territorio que se extiende entre los ríos **Mero** y **Barcés**, encontramos una gran porción de bosque conocida con el nombre de **Fraga de Cecebre**. Este lugar protegido es el hábitat de diferentes especies de aves, reptiles y mamíferos. Un gran lago artificial construido a finales del siglo XX para abastecer la ciudad de La Coruña domina este entorno ecológico, cuya fama se debe al escritor Wenceslao Fernández Flórez y a su obra literaria *El bosque animado*.

Comprensión escrita

1 Marca con una ✗ si las afirmaciones son verdaderas (V) o falsas (F).

		V	F
1	Galicia se encuentra en el sur de España.	☐	☐
2	La Coruña tiene un importante puerto pesquero.	☐	☐
3	La capital de Galicia es Vigo.	☐	☐
4	Santiago de Compostela es importante por su catedral.	☐	☐
5	La Fraga de Cecebre es un lugar ecológico protegido.	☐	☐

Personajes

De izquierda a derecha: Carlos, Boby, Trini, Javi

Antes de leer

1 En el primer capítulo vas a encontrar las siguientes palabras. ¿Sabes asociarlas a las imágenes?

a coche	**d** ordenador	**g** consola
b ojo	**e** helado	**h** brazo
c hombro	**f** tomate	**i** parque

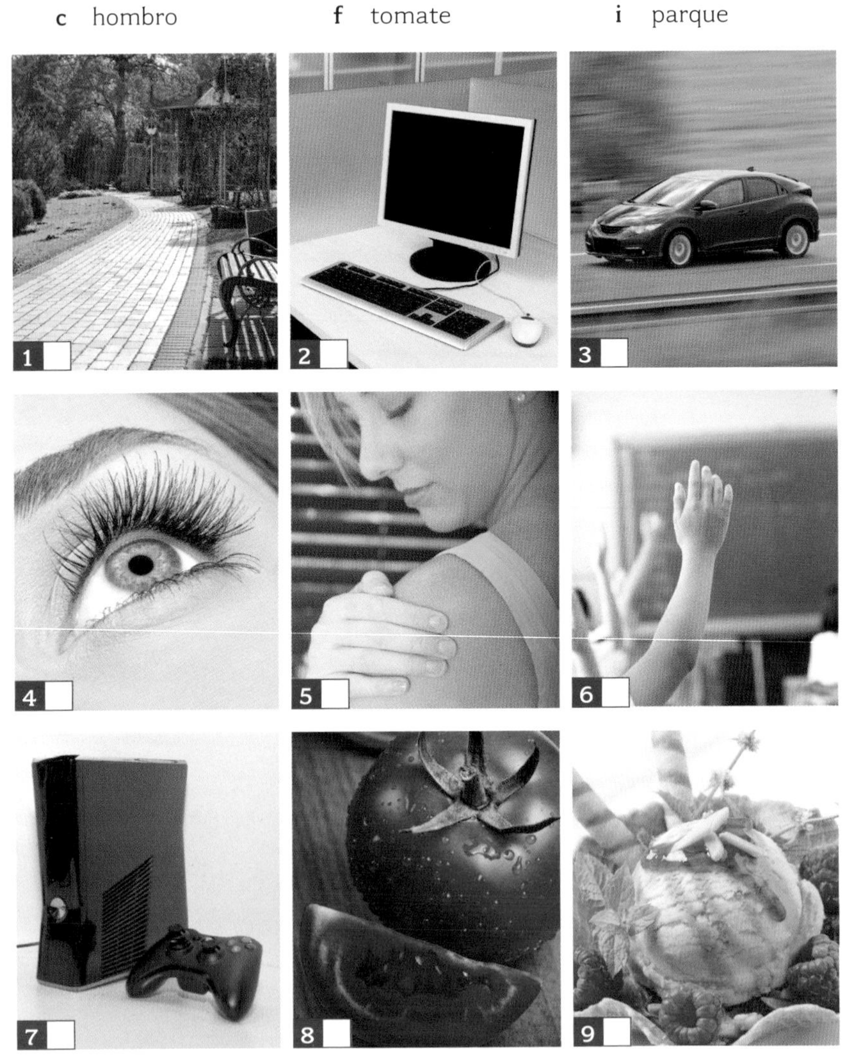

CAPÍTULO **1**

Carlos y Javi

ola, Carlos, ¿qué tal? —pregunta Javi.

—Bien —contesta Carlos—. Llego ahora de Oviedo.

—¿De Oviedo?

—Sí, he ido a ver la exposición *Ferrari, un estilo de vida*, en el Palacio de Congresos Princesa Letizia.

—¿Interesante?

—¿Interesante? No. ¡Increíble! —contesta Carlos—. He visto el Ferrari 166 Inter, el Testarossa, el California. También están el primer Ferrari de carreras el 156F1 y muchos modelos más...

Carlos le habla de la exposición y Javi lo escucha. A él también le gustan los coches, pero no tanto como a Carlos.

CAPÍTULO 1

A menudo piensa: «Carlos y yo tenemos la misma edad, pero él sabe muchísimas más cosas que yo. Entiende de todo, lee de todo, se acuerda de todo. Es un genio».

Pero Javi no lo envidia. Carlos es un genio, pero a las personas les cae más simpático Javi, sobre todo a las chicas. Él es más divertido y vivaz, y las chicas siempre le sonríen. Se viste siempre a la moda, es guapo, rubio y sus ojos son oscuros y profundos. Juega muy bien al baloncesto y es el capitán del equipo del instituto, entiende de música y sabe tocar muy bien la guitarra.

A él Carlos le cae muy bien y pasan mucho tiempo juntos, charlando, jugando a la consola, o viendo alguna película en casa. No tienen los mismos gustos, pero a veces Carlos le habla de cosas interesantes; además es muy buena persona, y sabe que si le pasa algo, siempre puede contar con él. En pocas palabras es su mejor amigo.

—Yo soy el brazo y tú el cerebro —le dice a menudo Javi.

Carlos se lo toma a broma. Estima a Javi. Sabe que su amigo es muy popular y tiene muchos amigos. También a Carlos le gusta estar con Javi. Él tiene pocos amigos, pero buenos. A él, le interesan muchas cosas. No se aburre nunca. Solo echa de menos una cosa: una chica. No tiene ni una sola amiga y nunca la ha tenido.

Desde hace algún tiempo, a menudo se pregunta: «¿No les gusto a las chicas porque soy feo o porque soy demasiado intelectual?», pero él no sabe qué contestarse. Por eso le pregunta a su amigo Javi:

—¿Qué dices? ¿Soy tan feo?

—Pero ¿qué dices? No estás nada mal —contesta Javi.

—Eso lo dices porque eres mi amigo —le dice Carlos.

CAPÍTULO 1

—¡No es verdad! —exclama Javi—. Eres alto y ancho de hombros, tienes los ojos verdes... no, los feos son diferentes.

—Y ¿entonces? ¿Por qué nunca ninguna chica en el instituto me sonríe o me invita a ir al cine? —le pregunta desconsolado Carlos.

—El problema —le dice Javi—, es que eres intelectual. ¡Demasiado intelectual! Y eso no les gusta mucho a las chicas.

—¿A ninguna?

—Solo a las intelectuales les gustan los apasionados de ordenadores y esas a ti no te gustan. ¡Piensa por ejemplo en Lisa!

Lisa es una compañera de clase de Javi y Carlos, saca buenas notas y estudia mucho. A ella le gusta Carlos, muchas veces se sienta a su lado para hablar con él. Pero... ¡a él no le gusta!

—Pues a mí me cae mal —dice Carlos.

—Pero ella no es fea.

—No, pero... ¡es aburrida! ¡Solo sabe hablar de la escuela!

—¡Ah, vale! ¡Es demasiado intelectual!

—No, eso no. No es como yo. Estudia mucho, lee mucho, pero no le saca provecho.[1] A ella, no le interesa nada. Hace todo lo que le mandan los profes y nada más. No le interesan ni la cultura ni lo que pasa en el mundo. ¿Sabes a lo que me refiero?

—¡Por supuesto! —contesta Javi—. Y... ¿Trini?

Carlos se pone rojo como un tomate.

—¡Ah! ¡Pero Trini sí te gusta! ¡Yo hablo de Trini y tú te pones rojo en seguida!

—¿Qué pasa con Trini? —pregunta Carlos.

—Es guapa, ¿verdad? —dice Javi.

—Sí, mucho —contesta Carlos.

—... y te gusta.

1. **sacar provecho** : beneficiar de algo.

—Sí, sabes que sí, me gusta.

—Es tu vecina, la conoces desde pequeño, ¿por qué no la invitas a salir?

—¿Para ir a dónde? —pregunta Carlos.

—Y yo qué sé, a tomar un helado, al cine, a pasear por el parque.

—Seguro que no quiere salir conmigo.

—¿Y tú qué sabes?

—La veo todos los días y a duras penas me saluda.

—¿Tiene novio?

—No creo. Siempre la veo con su amiga Celia.

—¿Por qué no le preguntas si...? – insiste Javi.

—¡No! —corta[2] Carlos—. No puedo.

—Pero...

—Pero... no quiero seguir hablando de Trini. ¿Vale? —dice Carlos decidido.

—Vale, si tú lo quieres... ¿Qué hacemos ahora? ¿Jugamos a la consola?

—No tengo ganas. ¿Por qué no vemos una película sobre la crisis económica? ¿La americana que han estrenado[3] este fin de semana?

—¿Crisis económica? Si sigo pasando tanto tiempo contigo, ¡voy a acabar siendo yo también un friki![4]

2. **cortar** : en este caso, interrumpir a alguien.
3. **estrenar** : proyectar por primera vez una película.
4. **friki** : palabra coloquial que indica una persona rara, extravagante, o que está obsesionada con una afición.

Después de leer

Comprensión escrita

1 Marca con una ✗ si las siguientes afirmaciones son verdaderas (V) o falsas (F).

		V	F
1	Javi y Carlos son amigos.	☐	☐
2	Las chicas creen que Carlos es muy feo.	☐	☐
3	Javi juega muy bien al baloncesto.	☐	☐
4	Carlos tiene muchos amigos.	☐	☐
5	A Lisa le gusta Javi.	☐	☐
6	Carlos tiene una vecina que se llama Trini.	☐	☐
7	Carlos está seguro de que a Trini no le gusta él.	☐	☐
8	Javi odia a las chicas demasiado intelectuales.	☐	☐
9	Cuando Carlos habla de Trini, Javi se pone rojo.	☐	☐
10	Javi le propone a Carlos ir a jugar al baloncesto.	☐	☐

2 Ordena las partes del diálogo entre Carlos y Javi.

a ☐ ¿Interesante? No, ¡increíble!
b ☐ Bien, llego ahora de Oviedo.
c ☐ Sí, he ido a ver la exposición *Ferrari, un estilo de vida*.
d ☐ ¿Interesante?
e ☐ Hola Carlos, ¿qué tal?
f ☐ ¿De Oviedo?

Léxico

3 Encuentra el intruso.

1	a	simpático	b	bajo	c	introvertido	d	divertido
2	a	azul	b	moreno	c	rubio	d	pelirrojo
3	a	elegante	b	a la moda	c	fácil	d	deportivo
4	a	alto	b	delgado	c	gordo	d	oscuro
5	a	tenis	b	cama	c	baloncesto	d	fútbol

Gramática

Para describir una persona

En español, para describir el físico y el carácter de una persona se utilizan los adjetivos. En este capítulo se dice que:

*Javi es **guapo**, sus ojos son **oscuros** y **profundos** y es muy **simpático**.*

Y también que:

*Lisa no es **fea**, pero es **aburrida**.*

Pero los adjetivos no solo describen a las personas, y los utilizamos también para describir un objeto:

*Mi casa es **pequeña**, **moderna** y tiene muchos muebles **bonitos**.*

4 **¿Cómo son los dos amigos? Asocia los siguientes adjetivos a Carlos y Javi y después escribe una breve presentación de los dos chicos.**

vivaz rubio intelectual tímido extrovertido
ancho de hombros culto alto divertido moreno

....
....
....
....
....
....
....

Gramática

El plural de las palabras

Si la palabra termina en vocal, hay que añadir **-s**:

*Tu libro es muy interesante. / Tus libro***s** *son muy interesante***s**.

Si la palabra termina en consonante, hay que añadir **-es**:

*El profesor / Los profesor***es**

Si la palabra termina en -z, hay que cambiar la z en **c** y añadir **-es**:

*Pásame ese lápiz, por favor. / Pásame esos lápi***ces***, por favor.*

5 **Escribe el plural de las siguientes palabras.**

1 gato ....
2 ordenador ....
3 pizarra ....
4 pantalón ....
5 collar ....
6 coche ....
7 jersey ....
8 terreno ....

Comprensión auditiva

3 **6** **Escucha la presentación de Marta y completa la ficha con sus datos personales.**

Nombre: ....
Apellidos: ....
Ciudad: ....
Edad: ....
Descripción física: ....
Carácter: ....
Aficiones: ....

Expresión escrita y oral

7 **¡Y ahora tú! Escribe en tu cuaderno una ficha como la del ejercicio anterior, y después preséntate a tus compañeros, diciendo cómo eres físicamente, cómo es tu carácter y cuáles son tus aficiones.**

Antes de leer

1 **En el segundo capítulo vas a encontrar las siguientes palabras. ¿Sabes asociarlas a las imágenes?**

a esquina
b acera
c hocico
d huella
e seto
f flor

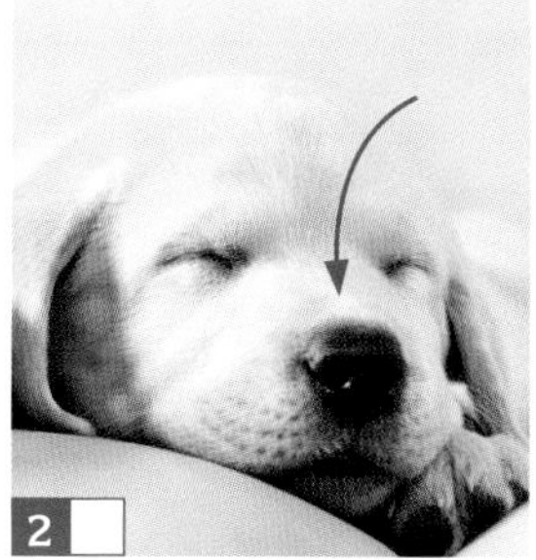

2 **En la página 21 vas a encontrar la ilustración del capítulo 2. Mírala atentamente y contesta las siguientes preguntas.**

1 ¿Puedes describir el aspecto físico del señor con el que hablan los dos chicos?
2 En tu opinión, ¿qué preguntan los dos chicos al señor?
3 ¿Por qué el señor tiene en la mano esas tijeras gigantes que se llaman cizallas?
4 ¿Cómo se llama el animal que se ve detrás de los dos chicos?

CAPÍTULO **2**

¡No encuentro a mi perro!

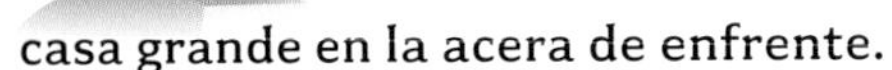

Carlos y Trini son vecinos. Carlos vive en un bonito barrio en Cambre, un pueblo cerca de La Coruña. Su casa es la casa roja de la esquina. Trini vive en una casa grande en la acera de enfrente.

La casa de Trini tiene un jardín, en donde a menudo Carlos la ve cuando pasa. Ella suele estar jugando con su perro Boby. Es un perro grande, negro y simpático con una mancha en el hocico.

Hoy también Trini está en el jardín, pero no juega con su perro, está con su amiga Celia. Hablan en voz baja pero Carlos escucha lo que se dicen.

—No encuentro a Boby —dice Trini—. No lo veo desde ayer.

—¡Qué raro! Boby nunca se aleja de casa —dice Celia.

—Es verdad. De vez en cuando va al jardín de la vecina pero no se aleja nunca. ¿Me ayudas a buscarlo?

¡No encuentro a mi perro!

—¿Qué quieres hacer? —le pregunta Celia.

—Quiero ir a buscarlo.

—Ah, lo siento Trini. Pero ahora no puedo. Mi madre me está esperando, tenemos que ir a hacer la compra.

—¿Ahora? ¡Celia, hoy es domingo!

—Sí, ya lo sé, pero el Centro Comercial Altamira 14 está abierto todo el día. ¿Por qué no vamos mañana por la mañana a buscar a tu perro?

—¿Mañana? Mañana es demasiado tarde. Lo busco yo sola.

Celia le da un beso y se marcha.

Trini se queda sola en el jardín. Carlos ha escuchado todo.

«¿Qué hago?» se pregunta. «¿Le digo algo?»

Sí... no..., sí... no..., al final se acerca al jardín.

—Hola... —saluda.

—Hola... —contesta la chica.

—Ejem, yo... creo que... bueno... ¿puedo ayudarte?

—¿Ayudarme? —le pregunta Trini sorprendida—. ¿Por qué quieres ayudarme?

—Tu perro... al pasar... Yo vivo...

—Sé donde vives —lo interrumpe Trini—. ¿Qué sabes de mi perro?

—Que no lo encuentras y yo te puedo ayudar a buscarlo.

—¿Sí? ¿Y cómo?

—No lo sé, podemos preguntar por ahí, seguir...

—¿Seguir qué? ¿Las huellas? —le pregunta Trini y se ríe.

—¡Genial! ¿No? Tengo un par de ideas para poder encontrar a tu perro —dice Carlos.

—Eres muy amable, pero yo tengo que encontrar *ahora* a mi perro, ¡necesito tu ayuda *ahora*! ¿Puedes ahora?

—¡Sí!

CAPÍTULO 2

—Muy bien. Entonces, vamos. Ya te digo que no está en mi jardín y tampoco en el jardín de la vecina.

En el jardín de la vecina hay un hombre que corta los setos.

—¿Quién es ese señor? —pregunta Carlos.

—Es mi vecino, el señor Gómez.

—¿Ya le has preguntado?

—¿Qué?

—Si ha visto a tu perro —dice Carlos.

—No —dice Trini.

—Entonces, se lo pregunto yo —dice Carlos.

—No, se lo pregunto yo —dice Trini—. Es un amigo de mi padre.

Los dos chicos se acercan al jardín del vecino.

—Buenos días, señor Gómez. ¿Por casualidad, ha visto a mi perro?

—¿Tu perro? No, no, no lo he visto. Lo siento —contesta el señor Gómez—. ¿No lo encuentras?

—No... desde ayer.

—¿Por qué no le preguntáis al señor Costas? ¿Lo conocéis? Vive en el número 17. Está siempre en el jardín. Tal vez lo ha visto.

—Sí, lo conozco, muchas gracias —responde Carlos—. Vamos a preguntarle ahora mismo.

Trini y Carlos corren hasta el número 17. El señor Costas está en el jardín. Está cortando las flores.

—¡Buenos días, señor Costas! —lo saludan los chicos.

El señor Costas es un hombre anciano, bajo, con el pelo blanco.

—Buenos días, chicos. ¿Qué hacéis los dos juntos? Trini, ¿no es demasiado intelectual para ti?

Trini y Carlos se ponen colorados [1] pero no contestan.

1. **ponerse colorado** : ponerse la cara de alguien roja por la vergüenza o la timidez.

CAPÍTULO 2

—Señor Costas —empieza a decir Carlos—, ejem... ¿por casualidad, no ha visto al perro de Trini?

—Ahora entiendo... ¡nuestro Carlos ayuda a la hermosa Trini a buscar a su perro! —dice el señor Costas y se ríe de nuevo.

—Sí, exactamente —contesta Carlos ya un poco nervioso.

—Tu perro se llama Boby, ¿verdad? ¿Es grande y negro? —pregunta el señor Costas a Trini.

—¡Sí! —exclama la chica.

—No, chicos, no lo he visto —dice el señor Costas—. Normalmente lo veo pasar siempre contigo, Trini.

—Entonces, ¿no lo ha visto? —insiste Carlos.

—No, lo siento. Pero... —piensa el señor Costas.

—¿Pero qué? —le pregunta Trini.

—Tal vez os interesa saber que el señor Suárez tampoco encuentra a su perro —contesta el señor Costas.

—¿El señor Suárez? —pregunta Carlos.

—Sí, vive en el número 34 de esta calle.

—¿Cuándo ha desaparecido el perro del señor Suárez? —le pregunta Carlos.

—Creo que hace un par de semanas. Era un perro un poco más pequeño que el tuyo.

—¿Cree que las desapariciones de los dos perros están relacionadas? —pregunta Trini.

—Sí, no... no sé, quién sabe... Carlos, tú eres el genio, ¿tú qué piensas? —dice el señor Costas.

—No sé, tal vez. Ahora vamos a hablar con el señor Suárez. Gracias por su ayuda, señor Costas —se despide con tono serio Carlos.

Después de leer

Comprensión escrita

1 Marca con una ✗ si las siguientes afirmaciones son verdaderas (V) o falsas (F).

		V	F
1	Trini está en su jardín hablando con Celia.	☐	☐
2	El perro de Trini de vez en cuando va al jardín de la vecina.	☐	☐
3	Celia ayuda a Trini a buscar su perro.	☐	☐
4	Carlos escucha la conversación de las chicas.	☐	☐
5	Cuando Carlos le dice a Trini que quiere ayudarla, la chica se queda sorprendida.	☐	☐
6	A Carlos le parece una idea genial seguir las huellas del perro.	☐	☐
7	El señor Gómez ha visto al perro de Trini.	☐	☐
8	El señor Costas está cortando los setos.	☐	☐
9	El señor Costas informa a los chicos que ha desaparecido también el perro del señor Suárez.	☐	☐
10	El señor Costas es amable con los dos chicos.	☐	☐

2 Asocia las dos partes de la frase.

a El señor Costas
b Celia debe
c El señor Gómez
d Trini
e Carlos
f El señor Suárez
g Trini y Carlos
h Boby
i En el número 34
j El centro comercial

1 ☐ está muy preocupada.
2 ☐ quiere ayudar a Trini.
3 ☐ es amigo de los padres de Trini.
4 ☐ ir con su madre al centro comercial.
5 ☐ vive en el número 17.
6 ☐ tampoco encuentra a su perro.
7 ☐ vive el señor Suárez.
8 ☐ está abierto los domingos.
9 ☐ corren hasta la casa del señor Costas.
10 ☐ ha desaparecido.

Léxico

3 **Busca en la sopa de letras las siguientes palabras, que aparecen en el capítulo 2. Luego explica su significado.**

calle **nervioso** **colorado** **hermosa** **amable** **anciano**

A	Z	U	N	E	A	I	L	N
N	X	Y	U	I	L	N	R	E
C	N	C	L	A	K	M	I	R
I	A	M	A	B	L	E	T	V
A	M	Q	K	L	E	P	E	I
N	P	W	P	O	L	R	A	O
O	A	I	W	P	R	E	X	S
O	T	G	X	E	T	D	Z	O
H	E	R	M	O	S	A	N	A
P	C	O	L	O	R	A	D	O

Gramática

El presente de indicativo del verbo *tener*

El verbo *tener* indica una ***posesión***. Este verbo es doblemente irregular: añade una ***-g*** en la primera persona de singular, y presenta ***diptongación*** en las demás personas, excluyendo la primera y segunda de plural.

yo	*ten**g**o*	nosotros/as	*tenemos*
tú	*t**ie**nes*	vosotros/as	*tenéis*
él, ella, usted	*t**ie**ne*	ellos/as, ustedes	*t**ie**nen*

4 **Completa las frases siguientes con la forma correcta del verbo *tener*.**

1 Javi y Carlos .... la misma edad.
2 Mamá, ¡.................. sed! ¿Me puedes dar un vaso de agua, por favor?
3 Ana .... los ojos azules y el pelo rubio.
4 Mi hermana y yo .... un perro que se llama Boby.
5 María, ¿cuántos años ....?
6 Los padres de Marcos .... un coche muy grande.
7 Lisa .... muchos juguetes.
8 Javi, ¿tú .... un ordenador viejo o moderno?

CAPÍTULO 3

El plan

Trini y Carlos están delante de la casa del señor Suárez. Llaman a la puerta.

—El señor Suárez vive solo desde la muerte de su mujer, hace un par de años —explica Trini.

—¿Tú lo conoces? —le pregunta Carlos.

—Mi padre lo conoce, trabaja en su empresa. Es informático.

—Informático... ¡fantástico! A mí me encantan los ordenadores.

—Sí, todo el mundo sabe que te chiflan los ordenadores— replica Trini irónicamente.

Trini llama otra vez a la puerta. Por fin, aparece un hombre. Es alto, pelirrojo y ancho de espaldas.

—Buenos días —dice Carlos—. Nosotros somos...

—Sé perfectamente quienes sois— replica el hombre—. Tú eres Trini, la hija de Fernando y tú, chico, vives en la casa roja. ¿Qué pasa?

«Qué antipático es» piensa Trini. Después empieza a decir:

CAPÍTULO 3

—Sabemos que usted tiene un perro y...

—Yo *tenía* un perro —la corrige el hombre—. Ha desaparecido. ¿Por qué os interesa mi perro?

—Mi perro Boby también ha desaparecido —explica Trini—. ¿Usted sabe algo...?

Trini no sabe que más decir y como decirlo.

—Mi perro ha desaparecido, tu perro ha desaparecido ¿y tú crees que yo sé dónde están? —pregunta groseramente el señor Suárez.

—No, no. Creemos que es una extraña coincidencia, ¿usted no? —dice Carlos.

—¿Una extraña coincidencia? —repite con un tono irónico el señor Suárez.

—Sí, por supuesto —insiste Trini.

—Tal vez es una extraña coincidencia, pero yo no tengo la menor idea de lo que le ha pasado a tu perro. Lo siento, pero tengo que trabajar —dice el hombre y cierra la puerta.

—¡Qué hombre más antipático! —exclama Carlos.

—¿Y ahora? —pregunta Trini—. ¿Qué hacemos ahora, *genio*?

—Damos un paseo. Tengo que pensar —contesta Carlos.

—Hmm... pensar. ¡Qué buena idea! —dice Trini irónica.

En la acera, un poco más allá ven a una mujer, lleva dos platos de comida para gatos.

—¡Buenos días, señora Sánchez! —la saluda Carlos.

—¿La conoces? —pregunta Trini.

—Sí. Todos los días, ella les lleva de comer a los gatos vagabundos. ¡Adora a los gatos! —contesta Carlos.

La mujer ha escuchado lo que ha dicho Carlos y dice:

—¡Es verdad! Me encantan los gatos, los perros, los conejos,

¡incluso los ratones! ¡Me encantan todos los animales!

—A mí también me encantan los animales —dice Trini.

—Perdone, señora Sánchez... —empieza Carlos.

—No tienes que llamarme señora Sánchez. No me gustan las formalidades. ¡Podéis llamarme Susana!

—Vale, Susana. A ti te gustan los perros, ¿verdad?

—Sí, mucho, casi tanto como mis gatos.

—¿Sabes que en esta calle han desaparecido dos perros?

—No, pero no me sorprende.

—¿Por qué? —pregunta Trini.

—Mi amigo José que vive en un pueblo aquí cerca, en Cecebre, me ha dicho que en el bosque pasa algo... con los perros...

—¿A qué te refieres? —pregunta Carlos.

— Me refiero a peleas[1] de perros.

—¡Oh no! ¡Peleas de perros! ¡Es espantoso! —exclama Trini.

—¡Sí, terrible! —repite Susana.

—¿La policía sabe de estas peleas? —le pregunta Carlos.

—No tengo ni idea —dice Susana.

—¿Y si se lo decimos a la policía? —propone Trini.

—Me parece una buena idea —dice Carlos.

—No, no es una buena idea, todo lo contrario —dice Susana—. La policia necesita pruebas. Sin pruebas, no pueden hacer nada. Y vosotros no las tenéis.

—Tienes razón —dice Carlos—. Nosotros tenemos que encontrar al menos una prueba.

—¿Y cómo hacemos para encontrar las pruebas?

—Vamos al bosque de Cecebre y buscamos alguna prueba para poder denunciarlos —dice Carlos. Después le pregunta a Susana:

1. **pelea** : lucha, muchas veces clandestina.

CAPÍTULO 3

—Susana, ¿tu amigo no te ha contado nada más? Por casualidad, ¿sabe en donde se celebran estas peleas?

—No, pero me ha dicho que los aullidos[2] se oyen desde su casa. Por tanto, el lugar no puede estar lejos de su casa —contesta la mujer.

—¿Nos puedes decir dónde vive? —pregunta Carlos.

—Hmm, no sé exactamente dónde vive. Su casa está cerca de la presa[3] del embalse,[4] justo en donde empieza el bosque. ¿Sabéis dónde está?

—No —contesta Trini decepcionada.

—Sí, yo sí —dice Carlos.

—Perfecto. Su casa está al principio del camino que lleva al embalse. Es una casa pequeña y negra.

—¿¡Una casa negra?! —pregunta Trini sorprendida.

—Sí, negra.

—Una pregunta más, señora Sán... Susana —dice Carlos—. ¿Tu amigo José sabe cuándo se hacen estas peleas?

—Por la tarde, más bien por la noche. Bueno, ahora me voy a dar de comer a mis gatos. ¡Buena suerte chicos!

La señora Sánchez se despide. Deja en el suelo los platos con la comida para los gatos.

—Y ahora, ¿qué hacemos? —pregunta Trini.

—Podemos ir al bosque —propone Carlos.

—¿Cuándo? ¿Esta noche?

—Sí. Existe una pequeña posibilidad de encontrar a Boby.

—¿Crees que lo tienen ellos? —pregunta Trini asustada.

—Sí. Es un perro grande y fuerte. Es bueno para pelear.

2. **aullido** : voz triste y prolongada de los perros.
3. **presa** : obra de ingeniería para contener y almacenar el agua.
4. **embalse** : depósito artificial de agua.

CAPÍTULO 3

—¡Oh, no, pobre Boby! Tenemos que darnos prisa. ¿Cómo hacemos? Vamos al bosque, encontramos el sitio en donde hacen las peleas, vemos a Boby... y ¿después? No podemos decir a esas personas “este es mi perro y me lo tenéis que devolver” —dice Trini.

—¡Claro que no! —exclama Carlos—. Es muy peligroso. La gente que organiza peleas de perros no bromea. Sacamos unas fotos y se las damos a la policía...

—Las fotos son pruebas, ¿verdad? —le interrumpe Trini.

—Sí, son pruebas... pero puede ser peligroso. No es para niñas.

Trini lo mira enfadada y le contesta:

—Bueno, ¡tampoco para frikis!

Carlos se ríe:

—Tienes razón. Tú eres una chica y yo soy un friki. ¿Qué dices? ¿Crees que podemos hacerlo?

Trini lo mira con sus ojos azules y dice:

—¡Por supuesto! ¡Claro que vamos! ¿Estás libre esta noche?

—Sí. A mis padres les digo que me quedo a dormir en casa de Javi... ¿y tú?

—Yo... yo les digo que duermo en casa de Celia —dice Trini—. ¿A qué hora quedamos? ¿A las nueve o a las diez?

—Nueve y media. Desde Cambre hasta Cecebre en autobús hay casi media hora y luego casi otra media hora más para llegar a pie a la presa del embalse —calcula Carlos.

—¿Cómo nos orientamos en el bosque? —pregunta Trini.

—Eso no es un problema, sé como hacer.

—Vale. Nos vemos más tarde. ¡Hasta luego Carlos!

—¡Hasta luego Trini!

Carlos mira a Trini alejarse.

«¡Qué guapa es!» piensa. «¡Díos mío, mi primera cita!»

Después de leer

Comprensión escrita

1 Marca con una ✗ si las siguientes afirmaciones son verdaderas (V) o falsas (F). Después corrige las respuestas falsas.

		V	F
1	El señor Suárez es amigo de la madre de Carlos.	☐	☐
2	Trini es la hija de Fernando.	☐	☐
3	El señor Suárez tiene un gato.	☐	☐
4	A la señora Sánchez le gustan mucho los animales.	☐	☐
5	Susana les dice a los chicos que la policía sabe de las peleas de perros.	☐	☐
6	En Cecebre vive un hijo de la señora Susana.	☐	☐
7	Boby es un perro grande y fuerte, y es bueno para pelear.	☐	☐
8	Los chicos deciden verse a las nueve de la noche para ir al bosque.	☐	☐

Comprensión auditiva

2 Escucha el fragmento y completa las frases con las palabras del cuadro.

pelirrojo antipático irónico ordenadores coincidencia

1 Todo el mundo sabe que a Carlos le chiflan los ....
2 El señor Suárez es alto, ... y ancho de espaldas.
3 Trini piensa que el señor Suárez es ....
4 Los chicos creen que la desaparición de los perros es una extraña ....
5 El señor Suárez les habla a los chicos en tono ....

Rincón de cultura

3 DELE **En este capítulo los chicos conocen a Susana, una señora que quiere mucho a los animales y que todos los días da de comer a los gatos vagabundos. En España existen muchos centros de protección de animales vagabundos. Lee el texto y después contesta las cinco preguntas.**

Los centros de protección animal (CPA) son estructuras públicas y privadas que se ocupan de recoger y cuidar a los animales – sobre todo perros y gatos – perdidos, abandonados o accidentados en las carreteras. Su objetivo es principalmente el de recoger y atender a estas mascotas, ofreciéndoles cuidados clínicos, hasta su recuperación por sus propietarios o la entrega en adopción en lugares adecuados para darles una vida digna. Pero no solo cumplen su función primaria, sino que se ocupan también de promover campañas de sensibilización para establecer relaciones de responsabilidad entre las personas propietarias y sus animales domésticos, e incluso sancionar a las personas que no cumplen las normas en tema de tenencia y protección de animales.

1 Los centros de protección animal son...
- a ☐ estructuras solo públicas.
- b ☐ estructuras solo privadas.
- c ☐ estructuras públicas y privadas.

2 Los CPA se ocupan de...
- a ☐ recoger y cuidar a los animales abandonados.
- b ☐ recoger y encerrar a los animales peligrosos.
- c ☐ recoger y suprimir a los animales enfermos.

3 Otra función de los CPA es de...
- a ☐ denunciar la gravedad del abandono de los animales.
- b ☐ sensibilizar sobre la responsabilidad de los propietarios de animales.
- c ☐ señalar a la policía los propietarios que maltratan a los animales.

4 Cuando entregan un animal en adopción, el objetivo de los CPA es...
- a ☐ dar el animal a familias ricas.
- b ☐ dar el animal a un niño feliz.
- c ☐ dar al animal una vida digna.

Antes de leer

1 **En el cuarto capítulo vas a encontrar las siguientes palabras. ¿Sabes asociarlas a las imágenes?**

a mochila	d linterna	g maleza
b tableta	e tijeras	h ring
c sendero	f cantimplora	i jaula

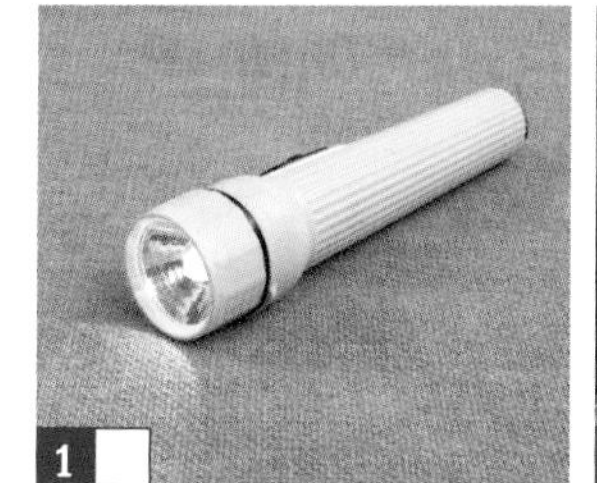

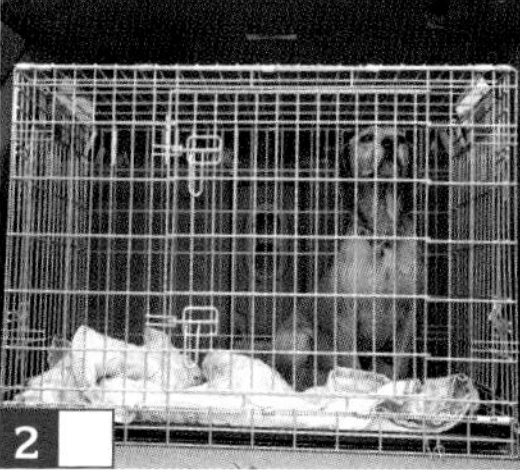

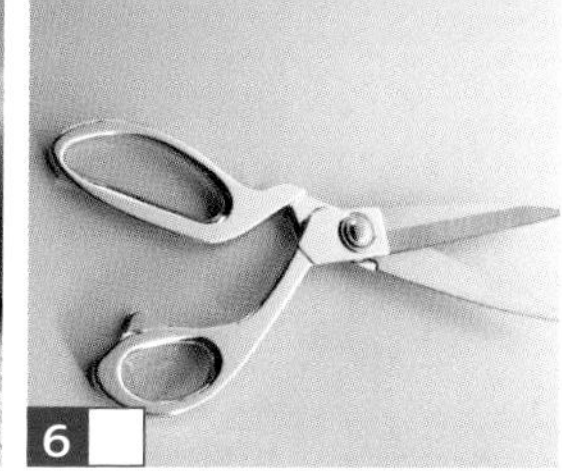

2 **En la página 37 vas a encontrar la ilustración del capítulo 4. Mírala atentamente y contesta las siguientes preguntas.**

1 ¿Dónde están Carlos y Trini?

2 ¿Por qué Carlos mira su tableta con aire inseguro?

3 ¿De quién es la casa que se ve al fondo?

CAPÍTULO 4

En el bosque

Son las nueve y veinte y Carlos ya está esperando a Trini detrás de la esquina de su casa. Por fin llega. Ella también lleva una mochila como Carlos.

—¡Hola! —la saluda Carlos.

—¡Hola! —le contesta Trini—. ¡Venga, deprisa! [1] Nadie nos puede ver. Les he dicho a mis padres que salgo con Celia y duermo en su casa.

—Yo he dicho lo mismo pero con Javi —contesta Carlos y sonríe.

Los dos chicos cogen el autobús para Cecebre. Es una pequeña ciudad a lo largo del río Mero, a quince kilómetros de La Coruña.

Media hora más tarde los chicos llegan al bosque.

Carlos coge la tableta de su mochila.

1. **deprisa** : rápidamente.

En el bosque

—¿Para qué te sirve eso? —le pregunta Trini.

—Para orientarnos en el bosque —contesta Carlos.

—¿¡De verdad?!

—¡Por supuesto! Tengo un programa de navegación.

Carlos pincha el icono de un mapa en la pantalla.

—¿Hay un mapa del bosque? —pregunta Trini intrigada.

—Sí, pero solo una pequeña parte del bosque, pero puede ser útil. La casa del amigo de Susana está cerca del embalse. ¡Mira, este es el embalse! —exclama Carlos.

—¡Genial! Por tanto, tenemos que ir hacia Oeste —dice Trini.

—¡Exacto!

Los dos chicos empiezan a caminar por el sendero.

El bosque está muy oscuro y Carlos coge una linterna de su mochilla para iluminarlos.

—¡Guay! ¡Mejor así! —dice Trini. —¿Sabes orientarte en el bosque?

—No. A mí me encanta la naturaleza, pero nunca voy a los parques naturales. ¿Y tú?

—¡Yo solo voy a los parques de atracciones! —dice Trini y se ríe—. ¿Qué más llevas en la mochila? —pregunta intrigada.

—Llevo dos linternas, unas tijeras, un cuchillo y una cantimplora.

—¡Has pensado en todo!

Carlos sonríe.

—¿Y tú qué llevas en tu mochila? —pregunta.

—Un refresco, pañuelos de papel, un espejo, un peine, crema de manos...

—¿Crema de manos?

—Sí, con el frío se me secan en seguida las manos —explica Trini.

—¡Huy qué problema tan grave! —dice Carlos irónico.

CAPÍTULO 4

—¿Qué quieres decir? ¿Qué soy tonta? —pregunta Trini enfandada.

—¿Tonta? No, no, solo... rara. Tal vez para una chica es normal. No conozco a muchas chicas.

—¡Sí, lo sé! —dice Trini.

—¡Qué es lo que sabes?

—Que no sales con chicas. Solo de vez en cuando con... ¿cómo se llama...? ¿Lisa?

—No es mi amiga —dice Carlos.

—Tal vez, pero le gustas mucho.

—¡Ah! No lo sabía. Pero es igual, ella a mí no me gusta.

—A ti no te interesa ninguna chica... solo tus libros...

—¡No es verdad! Es decir... a mi me gusta leer y estudiar, pero también me gustan las chicas.

—¿Y quién te gusta? —pregunta Trini con una sonrisa maliciosa. Ella sabe que a él le gusta ella.

Carlos no contesta. Delante de ellos está la presa y él se la enseña emocionado:

—¡La presa! —exclama.

—¿Y ahora qué hacemos? —pregunta Trini.

—Seguimos el camino que bordea el embalse —contesta Carlos.

Los dos chicos siguen el camino. Dos minutos después llegan delante de una casa.

—Es la casa negra de José, el amigo de Susana —dice Carlos.

—¡Genial! —dice Trini—. Eso significa que *ellos* están cerca.

—Sí. ¡Escucha!

—¿Qué es?

—Voces. ¿Las oyes?

—Sí, ahora sí. Creo que provienen de la derecha. ¿A dónde vamos ahora? —pregunta Trini.

CAPÍTULO 4

Carlos mira su tableta.

—Mmm... la tableta solo indica la presa y una zona verde.

—Podemos seguir las voces —propone Trini.

—Sí, tienes razón. Si seguimos las voces, no nos podemos perder, pero debemos tener cuidado, porque esa gente es muy peligrosa.

—¿Qué te pasa, Carlos? ¿Tienes miedo? —pregunta Trini, como burlándose del chico.

—¡Claro que no! —contesta Carlos un poco avergonzado—. Lo digo por tí, porque creo que es una situación muy peligrosa y no quiero que... —el chico se interrumpe, otra vez avergonzado.

—Ya, ya... —le dice Trini y le sonríe contenta, porque entiende el verdadero sentido de las palabras de Carlos.

Los dos chicos siguen andando. Las voces y el ruido se escuchan cada vez más cerca. Diez minutos después, los dos chicos llegan a un pequeño claro. [2]

Ahora las voces están cerquísima, y rompen el silencio junto con los ladridos feroces de algunos perros; están tan cerca que los dos chicos pueden entender lo que dicen. Son voces de hombre:

—¡¡Vamos, muerde!! —dice uno.

—¡Vamos Relámpago! ¡Atácale! —grita otro.

—¡Trini, tú espera aquí! —dice Carlos—. Voy a acercarme un poco más para ver mejor.

—¡No! Yo voy contigo.

—¡Por favor, Trini! ¡Es demasiado peligroso!

—¡Ni hablar! Boby es mi perro. ¡Yo voy contigo!

—Bueno, vale —contesta Carlos un poco enfadado.

Los dos chicos caminan despacio entre la maleza y sin hacer

2. **claro** : espacio en el interior de un bosque donde no hay árboles.

ruido, para no ser vistos, y llegan a un punto más abierto desde donde lo ven todo.

El espectáculo es de lo más cruel. Hay doce hombres, más o menos, alrededor de una especie de ring. En el medio están luchando dos perros. Los hombres gritan e incitan a los perros. Ellos parecen muy nerviosos.

—¡Dios mío! —dice Trini—. ¡Es terrible!

—¿El que?

—¿¿El que?? ¡Lo que hacen a esos pobres perros! ¿Ves a Boby? —pregunta Trini.

—No, solo veo dos perros que pelean —contesta Carlos—. Vamos a buscar a Boby.

—¿Dónde? —pregunta Trini, muy asustada.

—Vamos a la otra parte del claro. Creo que allí hay algo —contesta Carlos.

—¿Qué? —pregunta Trini emocionada.

—No estoy seguro, pero... parecen jaulas.

Trini y Carlos dejan el claro y caminan entre los árboles hasta llegar a la otra parte. Ahora pueden ver con claridad seis jaulas. Dentro hay unos perros, pero los chicos no consiguen ver qué perros son, porque en la oscuridad solo ven el brillo de los ojos tristes de aquellos pobres animales.

Trini y Carlos se esconden detrás de un árbol.

—¿Por qué nos escondemos aquí? —le pregunta Trini—. Quiero ver más de cerca.

—Es peligroso —dice Carlos.

—¡Yo quiero ver si Boby está en una de aquellas jaulas!

—¿¡Bromeas?! Es una locura. ¡Esos tipos te pueden ver!

—No están mirando hacia aquí —replica Trini—. Están completamente concentrados en la pelea. ¡Qué horror!

CAPÍTULO 4

—Trini, ¿qué haces? —pregunta Carlos, pero es demasiado tarde.

La chica corre hacia las jaulas. Carlos no puede hacer nada más que ir detrás de ella. Cuando llega a su lado, Trini está delante de una jaula. Dentro hay un perro negro encerrado. Está tranquilo.

—¡Boby! —llama Trini—. ¡Boby!

El perro se acerca a la reja de la jaula y mueve la cola.

—¡Me reconoce! ¡Mira qué contento está de verme! —dice Trini.

—¡Sí, pero ahora nos tenemos que ir de aquí! —dice Carlos.

—¡No! ¡No podemos dejar aquí a Boby!

—Trini, ¿qué haces? No puedes abrir la jaula y...

—¡Mira, quién está aquí! —dice una voz detrás de ellos. Trini grita asustada.

Los dos chicos se dan la vuelta y ven... al señor Suárez.

—¡Señor Suárez! —exclama Trini sorprendida.

—¡Sí, yo!

—¡Usted... usted ha cogido a mi perro!

—¡Sí! ¡Es un perro muy valioso para nosotros! ¿Para qué quieres tú un perro tan grande? ¡Te compras otro más pequeño de chica y ya está! ¡Eh! Roberto, Íñigo... ¿podéis venir a ver? ¡Tenemos una visita!

Trini susurra a Carlos:

—¿Probamos a escapar de aquí?

—¡Sí! ¡Ahora!

Los dos chicos dan un paso hacia atrás lentamente y después echan a correr lo más rápido que pueden. Corren por el bosque, entre los árboles y los arbustos. Los hombres no los pueden ver porque está muy oscuro.

Después de leer

Comprensión escrita

1 **Marca con una ✗ si las siguientes afirmaciones son verdaderas (V) o falsas (F).**

		V	F
1	Los dos chicos cogen un autobús para ir a Cecebre.	☐	☐
2	Carlos y Trini tardan quince minutos en llegar al bosque.	☐	☐
3	Carlos siempre va a los parques naturales.	☐	☐
4	En su mochila, Carlos tiene un ordenador portátil.	☐	☐
5	Carlos le confiesa a Trini que le gusta Lisa.	☐	☐
6	Cuando llegan a la casa negra, los chicos oyen los aullidos de Boby.	☐	☐
7	Carlos y Trini consiguen llegar hasta donde los perros pelean.	☐	☐
8	Boby reconoce a Trini.	☐	☐
9	Los hombres de las peleas descubren a los chicos.	☐	☐
10	Los hombres de las peleas consiguen capturar a los chicos.	☐	☐

2 **¿Qué llevan en la mochila los dos chicos? Mete las palabras del cuadro en la columna correcta.**

tableta pañuelos crema de manos cuchillo refresco
linterna tijeras cantimplora espejo peine

Carlos	Trini

Gramática

Los números de 0 a 100

0 cero	13 trece	26 veintiséis
1 uno/a	14 catorce	27 veintisiete
2 dos	15 quince	28 veintiocho
3 tres	16 dieciséis	29 veintinueve
4 cuatro	17 diecisiete	30 treinta
5 cinco	18 dieciocho	31 treinta y uno/a
6 seis	19 diecinueve	40 cuarenta
7 siete	20 veinte	50 cincuenta
8 ocho	21 veintiuno/a	60 sesenta
9 nueve	22 veintidós	70 setenta
10 diez	23 veintitrés	80 ochenta
11 once	24 veinticuatro	90 noventa
12 doce	25 veinticinco	100 cien

Los números del 31 al 99 se escriben separados, y los que terminan en *uno* concuerdan según el género de la palaba a la que se refieren. Delante de un nombre masculino singular, se transforman en ***un***.

*Faltan **veintiún** días a las vacaciones de verano.*
*En mi clase de yoga somos **treinta y una** chicas.*

3 **¿Qué hora es? Mira estos relojes y contesta la pregunta según las horas que indican las agujas. Fíjate en el ejemplo:**

Son las... / Es la...

1 .... 2 .... 3 ....

4 .... 5 .... 6 ....

Los adverbios de cantidad

Para indicar la cantidad de algo utilizamos los adverbios ***poco***, ***muy***, ***mucho*** y ***demasiado***.

- ***poco*** indica una pequeña cantidad, y se puede utilizar con verbos, nombres y adjetivos.

  *Juan estudia **poco**.* *Marcos tiene **pocos** amigos.*

- ***muy*** y ***mucho*** indican una gran cantidad, pero no se pueden utilizar indistintamente: ***muy*** se utiliza delante de los adjetivos y adverbios, mientras que ***mucho*** se utiliza con verbos y nombres.

  *Carlos es **muy** divertido.* *Javi estudia **mucho**.*

- ***demasiado*** indica una cantidad excesiva. Se puede utilizar con verbos y adjetivos y es invariable, o con nombres, pero en este caso varía en género y número.

  *Laura habla **demasiado**.*
  *Marta y Laura son **demasiado** jóvenes para conducir un coche.*
  *En esta habitación hay **demasiadas** personas.*

4 Completa las frases siguientes con el adverbio de cantidad adecuado.

1 Debo ir a hacer la compra porque en la nevera hay .... comida.
2 José es un chico .... guapo, y me gusta ....
3 Yo estudio .... porque no me gusta ir a la escuela.
4 Lo siento Pablo, no puedo salir porque tengo .... cosas que hacer.
5 .... veces pienso que de mayor quiero ser piloto.
6 Hoy he trabajado .... y estoy .... cansado.
7 Cuando estoy contigo siempre me lo paso .... bien.
8 Eres .... joven para entender estas cosas.

Expresión escrita y oral

5 Imagina que vas a hacer una excursión con tus amigos a un sitio que te gusta cerca de tu casa. Redacta en tu cuaderno un plan en el que escribes dónde vais a ir, la hora en la que vais a salir, el medio de transporte que vais a utilizar, cuánto tiempo vais a tardar, y todo lo que vas a meter en tu mochila. Después lee tu plan a tus compañeros.

Antes de leer

1 En el quinto capítulo vas a encontrar las siguientes palabras. ¿Sabes asociarlas a las imágenes?

a rama
b suéter
c bastón
d móvil
e antorcha
f cama

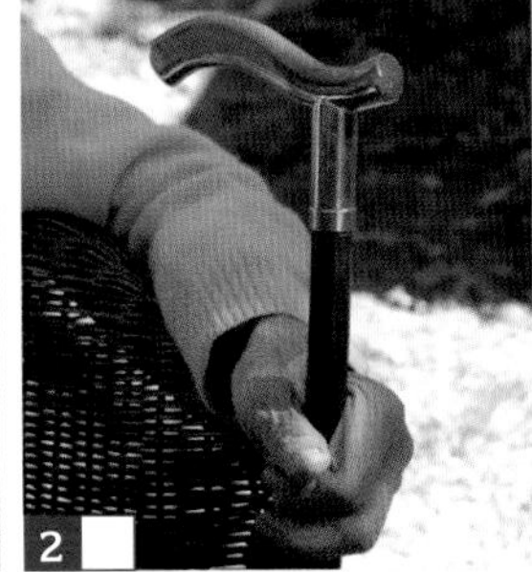

2 Ahora completa las frases con las letras que faltan en las palabras del ejercicio anterior.

1 Jorge ha subido a un árbol y se ha sentado en una _a_a.
2 El anciano para andar se ayuda con su _a_ t_ _.
3 Hoy Clara lleva unos vaqueros y un _ _ _t_ _ azul.
4 Desgraciadamente aquí mi _ _ _i_ no tiene cobertura.
5 Para alumbrarte enciende una _ _t_ _c_a.
6 Tengo mucho sueño, me voy a la _ _ _a.

CAPÍTULO 5

La persecución

—Trini, ¿sabes subir a los árboles? —le pregunta Carlos a Trini. 

—¡Sí! —contesta Trini, casi sin aliento.

Los dos se suben a un árbol; Trini se sienta en una rama gruesa[1] y Carlos en la de al lado.

Los hombres ahora están justo debajo de ellos y uno dice:

—¡Han desaparecido!

—¡Tranquilos! ¡No pueden haber escapado! —contesta otro.

Trini y Carlos los escuchan sin respirar.

Los hombres los buscan por todas partes. Alumbran con una linterna pero no miran hacia arriba.

Los buscan por allí cerca y después se van refunfuñando.[2]

—¡Dios mío! —dice Trini—. ¡Tengo mucho miedo!

Carlos no dice nada. Tiene miedo y no habla. No quiere hacer ver a Trini que él también está asustado.

1. **grueso** : de gran espesor, antónimo de fino.
2. **refunfuñar** : decir voces confusas y en voz baja porque se está enfadados.

CAPÍTULO 5

—¿Y ahora qué hacemos? —pregunta Trini.

—Nos quedamos aquí otro rato más, después intentamos salir del bosque —contesta Carlos.

—Tenemos que llamar a la policía —dice Trini.

—Sí, pero... ¡en el bosque no hay cobertura! Antes tenemos que salir del bosque —dice Carlos.

Después los chicos bajan del árbol y Trini pregunta:

—¿Hacia dónde vamos ahora?

—No lo sé —contesta Carlos, confundido—. Hacia la derecha.

—¿Por qué no enciendes la linterna? —le pregunta Trini.

—No, es demasiado peligroso —contesta Carlos—. Esos tipos pueden estar todavía por aquí cerca.

Los dos chicos corren durante mucho tiempo, pero no encuentran la salida del bosque.

Carlos de repente se para.

—¿Dónde estamos ahora? —pregunta Trini, muy cansada.

—No lo sé. Me he perdido —admite con tristeza Carlos.

—¿Cómo que no lo sabes? ¿Tú no eres un genio? —dice Trini enfadada.

Carlos no contesta. Mira al suelo avergonzado y dice:

—Lo siento, Trini.

—No tienes que pedir perdón. ¡Soy yo quién tiene que sentirlo! Tú eres amable, me estás ayudando y yo soy una tonta. Me he acercado a la jaula y...

—Trini, no importa —contesta Carlos amablemente. Se sienta al lado de un árbol.

—¿Ahora qué haces? ¿Por qué te sientas? ¿No seguimos? —pregunta Trini.

—No sé hacia donde ir —dice Carlos, triste.

—Hmm... entonces, ¿qué hacemos ahora?

La persecución

—Son casi las dos. Podemos pasar aquí la noche. Dentro de poco amanece[3] y...

—¿Por qué no nos ponemos otra vez a correr? —propone Trini.

—¿Hacia dónde? —pregunta Carlos.

—Hacia la izquierda.

Los chicos corren otra vez. Diez minutos, veinte minutos, media hora... a su alrededor solo hay árboles, matorrales y oscuridad.

—¡Este bosque es una pesadilla! —exclama Carlos—. Es la primera vez que estoy en un bosque de noche. Tengo mucho miedo. Por eso, hay tantas leyendas...

—¿Leyendas...? —repite Trini.

—Sí, hace mucho tiempo, era todo bosque. Galicia era casi... —Carlos se interrumpe.

—¿Qué pasa? ¿Por qué no me cuentas más? —pregunta Trini.

—Porque sé que te estoy aburriendo. Historia, libros, leyendas. A ti todo esto te aburre, ¿verdad? ¡Tú crees que soy un friki!

—¡Sí que eres un friki! Pero no me aburres, y puedes seguir... —dice Trini.

Carlos sigue hablando. Le habla de las leyendas medievales, de los bosques.

De repente se calla.

—¿Qué pasa? —dice Trini.

Carlos le hace ademán[4] de callarse:

—¿Ese ruido?

—Me habéis oído —dice un hombre detrás de ellos.

Los dos chicos se dan la vuelta y lo ven. Los chicos solo pueden ver a un hombre con un bastón porque está muy oscuro.

Los dos piensan que es uno de los hombres que hacen pelear a los perros.

3. **amanecer** : empezar a aparecer la luz del día. 4. **ademán** : gesto.

CAPÍTULO 5

—¡Rápido, vamos! —grita Carlos y coge a Trini de la mano.

—¡Tranquillos! ¿A dónde vais? —les dice el hombre con voz suave—. Por ahí no se va a ninguna parte. Si venís conmigo, os llevo a la salida del bosque.

—¿Usted no es uno de esos que hacen pelear a los perros? —pregunta Trini.

—¡Claro que no! —contesta el hombre—. Me llamo José Barros y vivo aquí cerca.

—¿¡Usted es el amigo de Susana?! —pregunta Carlos sorprendido.

—¿Conocéis a Susana? —les pregunta el hombre con una sonrisa.

—¡Sí! —contesta Carlos—. Tenemos...

—¡Silencio! —susurra ahora el hombre—. ¿Escucháis? Son voces. ¿Os siguen buscando? ¡Rápido, por aquí! —les indica el hombre y comienza a andar por el sendero.

Los dos chicos van detrás de él y diez minutos después ven la casa negra.

Carlos mira su móvil.

—¡Hurra! —exclama—. ¡Por fin podemos llamar...!

—¿Qué quieres hacer? —pregunta el hombre.

—Quiero llamar a la policía —le contesta Carlos—. Debemos denunciar las peleas de perros.

—Es una buena idea, pero seguro que la policía llegará tarde. Para entonces ellos ya se habrán ido con los perros —dice José.

—¡Es verdad! Pero entonces, ¿qué podemos hacer? —pregunta Trini.

—¡Sí! ¿Que podéis hacer? —pregunta una voz de hombre.

Hay alguien detrás de ellos. Lleva en la mano una antorcha y los chicos lo reconocen en seguida. Es el señor Suárez. Se acerca a ellos con aire amenazador.

CAPÍTULO 5

—¡Ahora llamo a la policía! —dice Carlos.

—¡Bien! ¡Si quieres, puedes llamarla! Pero como os ha dicho vuestro amigo, Trini se puede despedir de su Boby para siempre —dice el señor Suárez.

—Le decimos a la policía que usted organiza las peleas de los perros —dice Trini.

—Y yo les digo que era la primera vez, y que no sé nada de los perros. Y Boby, *plash*, desaparece con todos los otros perros.

—¡No! —grita Trini.

—¡Por supuesto! Y puedes volver a tenerlo señorita —contesta tranquilo el señor Suárez.

—¿Cómo? —le pregunta Trini casi llorando.

—Vosotros no llamáis a la policía, no decís nada, y mañana por la mañana, Boby reaparece en tu jardín. ¿Qué me dices?

Trini mira a Carlos perpleja y le pregunta con la mirada qué debe hacer. Carlos dice que sí.

—Tú no puedes hacer nada más... —susurra.

—De acuerdo —contesta Trini en voz alta—. No decimos nada, pero usted...

—Yo te devuelvo a tu perro. ¡Tranquila! —concluye el señor Suárez.

Carlos guarda el móvil en la mochila.

El señor Suárez se aleja de nuevo en silencio bajo la mirada atenta del señor Barros.

—Lo siento... —murmura el anciano.

—¿¡Usted sabe de las peleas de perros en el bosque?! —dice Trini enfadada.

—Sí, lo sé desde hace mucho, pero vivo cerca y no quiero tener problemas con ellos —explica el señor Barros.

—Sí, tiene razón. Pero... —empieza a decir Trini.

—¡Basta, Trini! —exclama Carlos—. Son asuntos [5] suyos. Nosotros no tenemos que decirle nada. —Y a él dice— Gracias por su ayuda, señor Barros.

—Sí, gracias —murmura Trini.

—Ahora no hay autobuses —dice el señor Barros.

—Tiene razón. Son las tres de la mañana —dice Trini—. A estas horas no hay.

—Dentro de poco amanece. Podéis quedaros a dormir en mi casa —les propone el señor Barros.

—Para mí, está bien —dice Carlos—. ¿Para ti, Trini?

—Sí, yo también estoy de acuerdo.

La casa del señor Barros es más grande de lo que parece desde fuera. Tiene dos cuartos, una cocina y un cuarto de baño grande. El viejo les enseña a los chicos una cama en un cuarto y les dice:

—Podéis dormir aquí, yo duermo en la otra habitación.

Trini se tumba en la cama y Carlos se deja caer en una silla, cansadísimo. Los dos chicos no logran dormir, siguen pensando en la aventura vivida.

—¿Me cuentas otra historia? —le pide Trini a Carlos.

—Te puedo contar una leyenda de un escritor gallego —le propone Carlos—. Es muy bonita.

—¿Cómo se llama la leyenda? —pregunta Trini.

—El bosque animado —contesta Carlos.

—¡Creo que me va a gustar!

Carlos empieza a contársela, y Trini lo escucha hechizada.

Cuando Carlos acaba la historia, Trini ya duerme. Él también tiene sueño pero no es capaz de dormir. Piensa en ella.

«Me gusta tanto, tanto» piensa triste.

5. **asunto** : cuestión, problema.

Después de leer

Comprensión escrita

1 Ordena las frases siguientes.

a ☐ Carlos y Trini deciden pararse.

b ☐ Antes de llegar a la casa, el señor Suárez los encuentra y se acerca a los tres con aire amenazador.

c ☐ José Barros lleva a los dos chicos a su casa.

d ☐ Los hombres se van refunfuñando.

e ☐ Trini le dice al señor Suárez que quiere llamar a la policía.

f ☐ Los dos chicos corren durante mucho tiempo, pero no encuentran la salida del bosque.

g ☐ Carlos le cuenta a Trini las leyendas medievales de los bosques.

h ☐ Por fin, los chicos pueden tumbarse para dormir y Carlos le cuenta a Trini la historia del bosque animado.

i ☐ Los chicos se suben a un árbol.

j ☐ Los hombres los buscan por todas partes. Alumbran con una linterna pero no miran hacia arriba.

k ☐ De repente detrás de los chicos aparece José Barros, el amigo de Susana.

l ☐ El señor Suárez le dice a Trini que si no llama la policía al día siguiente su Boby estará en el jardín.

m ☐ Los chicos bajan del árbol.

Comprensión auditiva

9 **2 ¿Quién es quién? Escucha las siguientes frases y asócialas a los personajes en el cuadro.**

Carlos Trini el señor Suárez José Barros los hombres de las peleas

1 ....

2 ....

3 ....

4 ....

5 ....

Léxico

3 **Aquí te mostramos el plano de una casa, como la de José Barros. Asocia las palabras en el cuadro con las diferentes habitaciones.**

cocina **cuarto de estar** **dormitorio**
cuarto de baño **garaje** **jardín** **comedor** **pasillo**

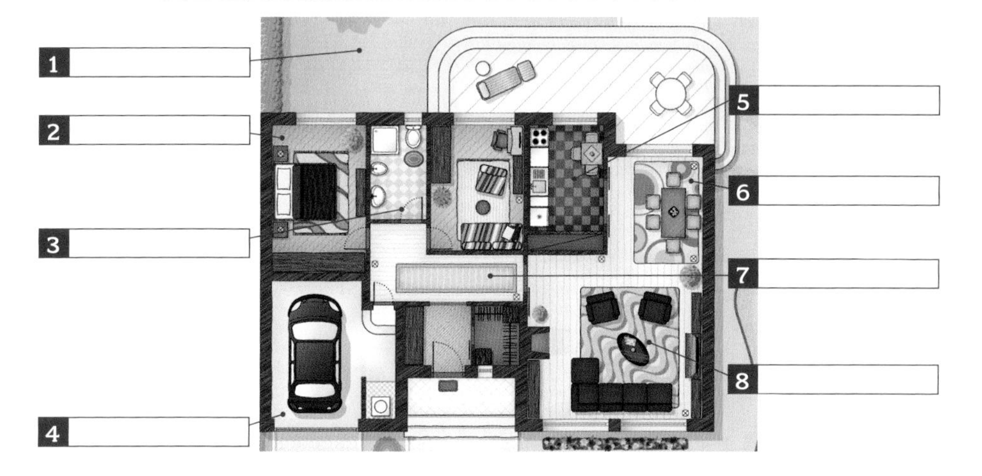

Gramática

Hay/Estar

La forma impersonal ***hay*** indica la existencia de una persona u objeto **indeterminado**, y es invariable. Precede los **artículos indeterminados**, los **números** y los **adjetivos indefinidos**.

*En mi casa **hay** cinco habitaciones./ Hoy en clase no **hay** nadie.*

El verbo ***estar*** indica la existencia de una persona u objeto **determinado**. Precede los **artículos determinados** y los **nombres propios**.

*Abajo **está** Pablo esperándote./ El bolígrafo rojo **está** encima de la mesa.*

4 **Completa las frases siguientes con *hay* o el verbo *estar*.**

1 En mi ciudad .... muchos restaurantes.
2 La estación de trenes .... aquí cerca.
3 En mi habitación .... un armario y una cama.
4 El cuarto de baño .... al final del pasillo.
5 ¿Qué .... en la nevera? .... un yogur.

Conil de la Frontera, Andalucía.

El turismo ecológico

Hay muchas maneras de pasar unas vacaciones divertidas y diferentes. La geografía española es muy variada, y además de sus bellísimas playas, montañas y ciudades, en su interior ofrece a los turistas muchos lugares, pueblos y aldeas donde poder alojar y hacer actividades al aire libre, en contacto con el campo y sin alterar el equilibrio del medio ambiente.

Por eso, si quieres vivir unos días sumergido en la naturaleza, puedes aventurarte en lo que se llama **ecoturismo**, o **turismo ecológico**.

¿Qué es el ecoturismo?

Según su definición, es la actividad turística que quiere evitar los daños a la naturaleza, promover el bienestar de las comunidades locales y la preservación de la biodiversidad incentivando el **desarrollo sostenible**, o sea el **crecimiento actual sin daño alguno para las posibilidades futuras**.

Parque Nacional de Ordesa
y Monte Perdido, Aragón.

Todo esto educando a las personas al respeto de los derechos humanos y la cultura del lugar.

Se trata entonces de una manera barata y enriquecedora para chicos y adultos de disfrutar del medio rural, que les permite descubrir rincones naturales de gran valor, descansar en un entorno muy tranquilo, pero también realizar un sinfín de actividades al aire libre tales como rutas de senderismo, paseos a caballo, piragüismo.

Las granjas ecológicas y los talleres

Además de esas actividades, el ecoturismo ofrece también la posibilidad de alojar en **granjas ecológicas** y colaborar en las labores cotidianas del campo (ordeñando y cuidando de los animales, conociendo los árboles, haciendo pan y mermeladas, etc.), y en muchas poblaciones se organizan también talleres en los que los niños y jóvenes pueden aprender a trabajar de modo artesanal las fibras naturales (como hacer cestas), realizar cosméticos con productos naturales, o conservar los comederos de los pájaros y los huertos.

En fin, como ves hay miles de cosas que se pueden hacer durante unas vacaciones ecológicas en prácticamente todas las Comunidades Autónomas de España. Y a ti, ¿qué te parece? ¿Te animas?

Comprensión escrita

1 Di si las siguientes afirmaciones son verdaderas (V) o falsas (F).

		V	F
1	El turismo ecológico es una forma de pasar las vacaciones sostenible.	☐	☐
2	En España hay pocas zonas donde hacer turismo ecológico.	☐	☐
3	Se puede alojar en hoteles de lujo en medio de la naturaleza.	☐	☐
4	Se pueden hacer actividades al aire libre.	☐	☐
5	Puedes relajarte viendo vídeos de cómo se ordeñan los animales.	☐	☐

Antes de leer

1 En la página 59 vas a encontrar la ilustración del capítulo 6. Mírala atentamente y contesta las siguientes preguntas.

1. ¿Dónde se encuentran Trini y Carlos?
2. ¿Por qué los dos chicos tienen una expresión feliz?
3. En tu opinión, ¿cómo termina la historia?

CAPÍTULO 6

El final

las siete de la mañana, el señor Barros entra en la habitación para despertar a los chicos, pero Trini y Carlos ya están despiertos.

—¡Por fin es de día! —dice Trini.

—Sí, —dice Carlos—. ¡Es el momento de volver a casa!

—¿Tenéis que ir a la escuela? —pregunta el señor Barros.

—No, hoy no —contesta Trini—. Es verano y estamos de vacaciones.

—Ah..., de vacaciones. ¡Genial! ¿Queréis una taza de leche caliente?

—Sí, ¡gracias señor Barros! —exclama Trini.

Trini y Carlos desayunan rápidamente y se despiden del señor Barros.

—Usted es muy amable —dice Trini.

—Si queréis, podéis venir a visitarme con Boby —dice—. Me gustan los perros.

CAPÍTULO 6

Trini y Carlos vuelven a casa. Una hora más tarde están delante de la casa de Trini.

—¿Tus padres están en casa? —pregunta Carlos.

—No, no están en casa. Mejor, porque así no tengo que contestar a sus preguntas. ¿Y los tuyos?

—No, mis padres tampoco están en casa. Creo que...

De repente, se oyen ladridos.

—¡Eh! ¡Mira, Trini! ¡Boby! ¡Boby está en casa! —exclama Carlos.

Boby corre hacia ellos y empieza a saltar alrededor de Trini y le lame la cara. La niña lo abraza contenta.

—¡Oh! ¡Boby estás en casa! —dice acariciando el perro.

—El señor Suárez ha mantenido su palabra —dice Carlos—. Y nosotros debemos cumplir nuestra promesa.

—No sé si cumplirla. Mañana quiero ir a la policía —dice Trini.

—¿De verdad quieres? —pregunta Carlos.

—No estoy segura.

—Tienes que pensarlo bien. Bueno, ahora debo irme —dice Carlos—. Voy a casa. Dentro de poco me llama mi madre.

—Sí, yo también me voy. Tengo que ducharme. Celia llega a las nueve. Vamos de compras. A ella le encanta ir de compras. Bueno, adiós Carlos.

—¡Hasta pronto, Trini! —le contesta Carlos y se marcha.

Carlos no ve a Trini durante todo el día.

«Lo sabía... Ya se ha olvidado de mí» piensa. «Ha dicho que somos amigos, pero seguro que no vuelve a salir nunca más conmigo. Es tan guapa, tiene tantos amigos. ¿Para qué quiere ella un amigo friki como yo...?»

Pero al día siguiente, por la mañana, una sorpresa espera a Carlos. Trini está en el jardín de su casa.

—Trini... ¿qué haces aquí?

CAPÍTULO **6**

—Tengo una cosa para ti —contesta Trini contenta, y le enseña el periódico—. ¡Lee! ¡Vamos, lee!

Peleas de perros en el bosque

La policía interrumpe el tráfico de perros para peleas en Cecebre.

Esta noche la policía ha arrestado 14 hombres que organizaban ilegalmente peleas de perros.

—¿¡Qué?! ¿Arrestados? ¿¡Al final has ido a la policía?! —pregunta Carlos sorprendido y admirado.

—No, yo no. ¿Y tú? —pregunta Trini.

—No, yo no.

—¿Entonces...?

Los chicos se miran y finalmente dicen.

—Solo puede ser una persona —dice Trini.

—El señor Barros.

—¿Vamos a verlo? —propone Trini.

—Sí.

Los chicos van a la parada del autobús. Allí ven a Celia con otras dos chicas más.

—Hola Trini, vamos a La Coruña a comprar unos zapatos. ¿Vienes con nosotras?

—Lo siento, pero no puedo —le contesta Trini.

—¿Por qué no? —Celia mira de través a Carlos—. ¿Qué haces con él?

Trini sonríe.

—Vamos al bosque —dice contenta. Le toma de la mano y los dos se ríen.

«Somos amigos» piensa Carlos. Bueno, tal vez algo más.

Después de leer

Comprensión auditiva y escrita

10 **1 Vuelve a escuchar el capítulo 6 y contesta las siguientes preguntas.**

1 ¿Por qué cuando el señor Barros entra en la habitación de los chicos, los dos están contentos?

....

2 ¿Qué le dice Trini al señor Barros cuando se despide de él?

....

3 ¿Qué es lo que oyen los chicos cuando llegan a casa de Trini?

....

4 Trini, ¿quiere cumplir con la promesa hecha al señor Suárez? ¿Qué quiere hacer?

....

5 ¿Por qué Carlos está triste al final del día?

....

6 ¿Qué tipo de sorpresa le espera a Carlos al día siguiente?

....

7 ¿Qué es lo que le enseña Trini a Carlos?

....

8 ¿Quién ha ayudado a la policía a encarcelar a los hombres de las peleas?

....

9 ¿Por qué Trini no quiere ir con Celia a La Coruña?

....

10 En tu opinión, ¿qué significa cuando al final de la historia Carlos piensa que Trini y él son "un poco más que amigos"?

....

El bosque animado

Título: *El bosque animado, sentirás su magia*
Año: 2001
Directores: Ángel de la Cruz y Manolo Gómez
Música: Arturo Krees
País: España
Género: película de animación

La Fraga de Cecebre tiene unos habitantes muy raros: son los árboles y animales que, cuando los hombres no están, animan el bosque y viven en alegre y feliz armonía. Pero un día unos hombres plantan un nuevo inquilino: un poste de teléfono, que los habitantes del bosque al principio creen ser un nuevo árbol. En ese momento termina la armonía y empiezan los problemas, pero el pequeño, simpático y un poco cobarde topo Furi, la gata Morriña, el ratón Piorno y el árbol Carballo, se aliarán junto a los otros habitantes de la Fraga para solucionar los problemas y llevar de nuevo la felicidad al bosque animado.

1 Contesta las siguientes preguntas.

1 ¿Por qué un día la armonía en el bosque termina?
2 ¿Quiénes son los personajes que intentan solucionar el problema?
3 En tu opinión, ¿por qué el hombre decide destruir forestas y bosques, ya que estos son esenciales para la vida del ser humano?

1 **Pon las imágenes siguientes en el orden cronológico de la historia, y después asocia cada imagen a la descripción que le corresponde.**

A ☐ El señor Barros sorprende a Carlos y Trini.
B ☐ Boby vuelve a casa.
C ☐ La señora Susana les habla a los chicos de su amigo José.
D ☐ El señor Gómez dice a Carlos y Trini que no ha visto a Boby.
E ☐ Carlos charla con Javi.
F ☐ Carlos y Trini se han perdido en el bosque.

2 Elige la respuesta correcta para cada personaje.

1 A Carlos
- a ☐ no le gustan las chicas.
- b ☐ le encantan los ordenadores.
- c ☐ le gusta hacer deporte.

2 A Trini
- a ☐ no le gusta Carlos.
- b ☐ le encanta ir de compras.
- c ☐ le parece que Carlos es un poco friki.

3 José Barros
- a ☐ ha perdido su perro.
- b ☐ es un amigo del padre de Trini.
- c ☐ anda con un bastón.

4 El señor Suárez
- a ☐ es muy simpático.
- b ☐ cumple su promesa.
- c ☐ es un amigo de la señora Susana.

5 La señora Susana
- a ☐ da de comer a los gatos vagabundos.
- b ☐ es amiga del señor Suárez.
- c ☐ llama a la policía.

3 Di si las siguientes afirmaciones son verdaderas (V) o falsas (F). Después justifica tu respuesta.

		V	F
1	Javi sabe que a Carlos le gusta Trini.	☐	☐
	....		
2	El señor que vive en la casa negra quiere hacerles daño a Trini y a Carlos.	☐	☐
	....		
3	La señora Susana ayuda a los chicos en la búsqueda de Boby.	☐	☐
	....		
4	Carlos y Trini mienten a sus padres para poder ir a la Fraga de Cecebre por la noche.	☐	☐
	....		
5	Al final, Trini prefiere ir de compras con Celia a La Coruña.	☐	☐
	....		